AVENTURAS EN PAÑALES

El nuevo hermanito de Tommy

Luke David
Ilustraciones: John Kurtz y Sandrina Kurtz

EDICIONES B
GRUPO ZETA

Barcelona • Bogotá • Buenos Aires • Caracas • Madrid • México D. F. • Montevideo • Quito • Santiago de Chile

Basada en la serie de TV *Rugrats©* creada por Arlene Klasky, Gabor Csupo y Paul Germain
tal como aparece en Nickelodeon®

Título original: *Tommy's New Playmate*

Traducción: Elvira Saiz

1.ª edición: noviembre, 1999

© 1998, Viacom International Inc.
NICKELODEON, *Rugrats*, y todos sus títulos, logos y personajes, son marca registrada
de Viacom International Inc.
© 1999, Ediciones B, S. A., en español para todo el mundo
Bailén, 84 - 08009 Barcelona (España)
www.edicionesb.es

Publicado por acuerdo con Simon Spotlight,
un sello editorial de Simon & Schuster, Inc., Children's Publishing Division

Impreso en España - Printed in Spain
ISBN: 84-406-9487-3
Depósito legal: B. 40.665-99

Impreso por Industria Gráfica Domingo, S. A.

Los Pickles habían organizado una fiesta en su casa para celebrar
el nacimiento de su hija. El jardín estaba lleno de gente. En una mesa
había una pila de regalos y en otra un montón de deliciosas golosinas.

Chuckie, sorprendido al ver tanta animación, le preguntó a
Tommy, su mejor amigo:

—¿Al fin ha llegado tu hermanita?

—No, todavía no —respondió Tommy—. Pero esta gran fiesta es
para ella, así que seguro que hoy es el día.

La abuela de Tommy, Minka, tomó a Didi de la mano y se la llevó por el jardín.

—¡Ven, Didila! ¡Mira lo que te hemos comprado!

Tommy, Chuckie, Phil y Lil fueron tras ellas. El abuelo Boris apareció con una cabra que tenía atada con una correa.

—¡No hay nada mejor que la leche de cabra! —dijo la abuela Minka.

—Excepto la de yac —añadió el abuelo Boris—, ¡pero es dificilísimo encontrar un buen yac hoy en día!

—¡Béee! —baló la cabra. Chuckie se asustó y retrocedió de un salto.

—¡Pero si sólo está diciendo hola! —exclamó el abuelo Boris entre risas—. Tomad, *kinderlach*. —Y les dio un puñado de monedas de chocolate a cada uno.

Tommy y sus amigos se metieron debajo de una mesa para comerse las chocolatinas. Se las zamparon todas menos una, que Tommy sostenía en la mano.

—¿No te la vas a comer? —le preguntó Phil.

—No —contestó Tommy—. ¡La guardaré para mi hermanita!

—¿Quieres decir que ya ha llegado? —preguntó Chuckie mirando a su alrededor.

—Pues yo no la veo, Tommy. ¿Crees que se habrá perdido de camino a la fiesta? —preguntó Phil.

—Mmmmm... no lo sé —dijo Tommy—. Quizá será mejor que vayamos a buscarla.

—¡Pero podría estar en cualquier parte! —protestó Chuckie.

Los niños se marcharon a la habitación de Tommy. Allí encontraron una cama nueva para Tommy. Junto a ella estaba su vieja cuna, que ahora sería para su hermanita. La mitad de la habitación había sido pintada de rosa.

—¡Tommy, alguien ha estado coloreando tu habitación! —exclamó Chuckie.

—Sí —dijo Tommy—, es para mi nueva hermanita.

—¿Cómo vamos a encontrarla, si ni siquiera sabemos cómo es?
—preguntó Phil.

—Bueno, es una niña, como yo —respondió Lil—, así que sabemos que será guapísima.

En ese momento Angelica irrumpió en el cuarto y gritó:

—¡Largo de aquí, mocosos!

Arrojó unas galletas sobre la cama, que ya estaba cubierta de golosinas.

—Angelica, ¿nos puedes ayudar a encontrar a mi hermanita? —le preguntó Tommy.

—Yo que tú no tendría tanta prisa en encontrarla —contestó Angelica—. Cuando llegue el nuevo bebé, se quedará con todos los juguetes, el amor y la atención, y tus papás te olvidarán.

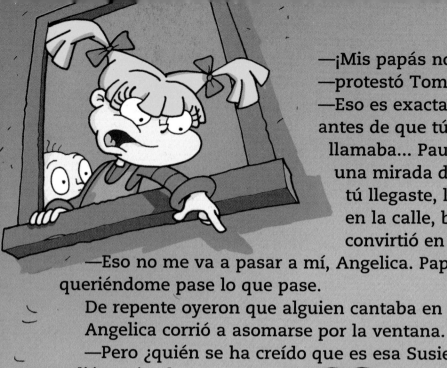

—¡Mis papás no se olvidarán de mí! —protestó Tommy.

—Eso es exactamente lo que dijo *Spike* antes de que tú nacieras. Entonces se llamaba... Paul. —Angelica le lanzó una mirada despreciativa—. Cuando tú llegaste, lo pusieron de patitas en la calle, bajo la lluvia, y se convirtió en un perro.

—Eso no me va a pasar a mí, Angelica. Papá y mamá seguirán queriéndome pase lo que pase.

De repente oyeron que alguien cantaba en el jardín.

Angelica corrió a asomarse por la ventana.

—Pero ¿quién se ha creído que es esa Susie Carmichael? —gritó, y salió corriendo.

Los niños la siguieron al jardín. Angelica y Susie se pusieron a cantar juntas «Un bebé es un regalo del ciervo».

En medio de la canción, Chuckie le dijo a Tommy:

—¿Crees de verdad que los bebés son un regalo del ciervo? Porque si un ciervo ha traído un regalo, seguro que será uno de ésos —añadió, señalando los regalos que había sobre la mesa.

Chuckie, Tommy, Phil y Lil se subieron a la mesa y comenzaron a desenvolver los regalos.

Tommy abrió el último paquete en el momento en que Angelica y Susie terminaban su canción. ¡No había ningún bebé!

Y cuando Angelica y Susie entonaban la última nota, que fue especialmente horrible, la mamá de Tommy soltó un grito ahogado. Se sujetó la barriga con las manos e hizo una mueca de dolor.

—¡Oh, Betty! —le dijo a su mejor amiga—, ¡ya ha llegado la hora!

En ese preciso instante, la cabra se soltó y volcó una mesa, que al caer golpeó una válvula de riego automático. Los aspersores del jardín comenzaron a funcionar y los invitados, para no mojarse, echaron a correr en todas direcciones.

El abuelo Lou sostuvo a Tommy en brazos y dijo:

—¡Esto sí que es una fiesta de verdad!

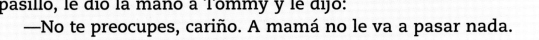

Didi fue trasladada inmediatamente al hospital Lipschitz. En el pasillo, le dio la mano a Tommy y le dijo:

—No te preocupes, cariño. A mamá no le va a pasar nada.

Stu, el padre de Tommy, se la llevó en una silla de ruedas, detrás del médico.

—¡Oh, Tommy! —dijo Chuckie—. Tu mamá no parece estar muy bien.

—A lo mejor tu hermanita se ha perdido de verdad —sugirió Lil.

—Bueno —respondió Tommy—, tal vez podamos comprar una nueva. —Se sacó del pañal la última moneda de chocolate y añadió—: ¡Vamos a buscar a mi hermanita!

Los abuelos no vieron a los niños salir al pasillo.

—¡Buaaaa! ¡Buaaaa! —Se oían unos llantos procedentes de detrás de unas grandes puertas.

Tommy las abrió.

—¡Una tienda de bebés! —exclamó Phil.

—¡Eh, chicos! —dijo Tommy—. Ayudadme a escoger uno que le guste a mi mamá.

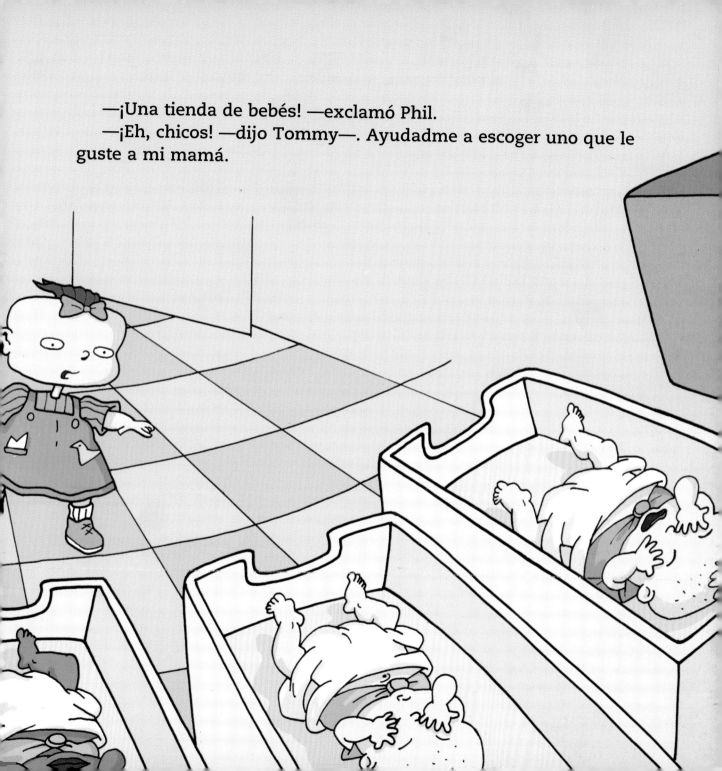

Tommy, Chuckie, Phil y Lil contemplaron un bebé tras otro. Los recién nacidos, pequeñísimos y arrugados, estaban cantando una canción titulada «El mundo es nuevo para mí».

Mientras tanto, Stu y Didi se encontraban en la sala de partos. El médico sostenía al recién nacido.

Stu miró al diminuto bebé y dijo:

—¡Didi, qué bonita es! ¡Es tan preciosa! Es... ¡pero si es un niño! —exclamó.

—Hola, mi pequeñín —dijo Didi cuando lo tuvo en brazos.

—Supongo que no podemos llamarle Trixie —dijo Stu. Al final le pusieron el nombre de Dylan—. Dil, abreviado. Dil Pickles. Me gusta.

Cuando los abuelos encontraron a los niños en la nursery, se los llevaron a la habitación de Didi. La madre de Tommy estaba en la cama, rodeada de sus familiares y amigos.

El abuelo Lou dejó a Tommy sobre la cama, al lado del nuevo bebé.

—Tommy —dijo Didi—, quiero que conozcas a una personita muy especial. Éste es tu hermano Dil.

De pronto Tommy se sintió muy feliz. Sonrió a su nuevo hermanito y alargó la mano para tocarlo. En ese momento Dil rompió a llorar y agarró a Tommy de la nariz con todas sus fuerzas.

—¡Aaaaah! —gritó Tommy.

Aunque le dolía la nariz, Tommy decidió quedarse con Dil y pagó a la enfermera con su última moneda de chocolate.

Didi abrazó a sus dos hijitos.

—¿Lo ves? —murmuró a Stu—. Ya se quieren como hermanos.